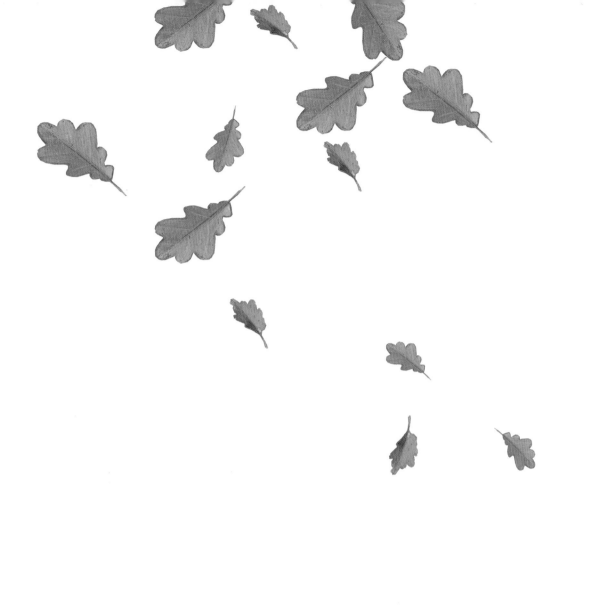

À Nathanaël.
A. L. & F. P.

© 2019, Albin Michel Jeunesse – 22, rue Huyghens, 75014 Paris – www.albin-michel.fr
Loi 49-956 du 16 juillet 1949 sur les publications destinées à la jeunesse
N° d'édition : 23043/02 – Dépôt légal : premier semestre 2019
ISBN : 978-2-226-43531-6 – Imprimé en France par Pollina s.a.- 87991

Agnès Ledig   Frédéric Pillot

Le cimetière
des mots doux

Albin Michel Jeunesse

Je m'appelle Annabelle.

Mais Simon, mon amoureux, m'avait donné un petit nom,

comme un mot doux, comme un bisou, juste pour moi, juste pour nous.

Il l'écrivait en cachette sur ma gomme, à l'intérieur de ma trousse,

ou sur le chemin, avec un grand bâton,

quand nous nous promenions dans les bois.

Il m'appelait Annamabelle.

Nous étions nés le même mois de la même année,

vivions dans la même rue du même village

et étions dans la même classe de la même école.

Parfois, sans nous parler, nous nous comprenions quand même.

Et puis, nous avions les mêmes goûts, surtout pour la forêt,

où son très grand frère Thomas nous emmenait souvent,

et nous montrait des trésors cachés.

Il nous racontait les champignons, les écureuils, l'écorce et les feuilles.

Thomas est menuisier. Il connaît tout des arbres.

Il y avait un chêne en particulier, contre lequel Simon aimait se reposer.

Thomas disait que ces deux-là devaient se raconter

des histoires sans qu'on les entende.

D'après lui, son petit frère était né avec l'âme d'un arbre.

Quand nous nous couchions au pied du tronc

pour regarder le feuillage bruisser, j'avais beau lui parler,

il ne réagissait pas.

Simon écoutait son chêne.

Un jour à l'école, sa chaise est restée vide.

On s'est dit qu'il avait peut-être un rhume ou un torticolis,

ou bien un mal de ventre qui le clouait au lit.

Mais la maîtresse était pâle et elle cherchait ses mots pour nous dire

qu'il ne reviendrait pas le lendemain, ni même les jours suivants.

Elle parlait même de longues semaines.

Jusqu'à lâcher le nom de sa maladie. Un mot pas doux du tout.

« C'est quoi la leucémie ? »

Elle nous a expliqué la moelle, le sang, les cellules
qui se fabriquent dans nos os et qui nous protègent de tout.
Les os de Simon ne fabriquaient plus rien.
Il était pourtant costaud pour me défendre dans la cour,
quand les autres m'embêtaient.
Là, c'était lui qui avait besoin d'être protégé, et je ne pouvais rien faire.

Je regardais par la fenêtre et je pensais à lui.
Il me manquait déjà, et personne ne savait à quel point.

Nous lui faisions des dessins, des bricolages, des poèmes,

de pleines pages. Ses lettres nous racontaient sa vie à l'hôpital,

tous les jeux, tous les gens qu'il rencontrait.

Une maîtresse, un prof de sport, et même des clowns.

Ça avait l'air chouette comme ça, parce qu'il n'évoquait pas le reste.

Mais moi, j'entendais sa maman se confier à la mienne,

et je savais que ce n'était pas tout rose.

Il avait mal et un peu peur et, surtout, la vie du dehors lui manquait.

À moi aussi, il manquait, et personne ne savait à quel point.

Ça a duré des semaines et je ne l'ai revu qu'une fois,
rapidement, quand les docteurs l'ont autorisé à rentrer chez lui,
pour un week-end. Il était fatigué, mais il avait décidé d'être heureux.
Ça se voyait dans ses yeux.

Et puis, il est reparti. J'ai bien demandé à ma maman
d'aller le voir dans sa chambre d'hôpital, mais les visites
étaient interdites aux enfants, sauf parfois aux frères et sœurs.

Nous, nous étions amoureux, mais personne ne nous prenait au sérieux.

Je lui écrivais des mots doux que je donnais à son frère
pour qu'il les colle sur la vitre de sa chambre d'hôpital,
comme si je venais lui faire des coucous par la fenêtre.
Je me disais que ça le réconfortait, que ça lui changeait les idées.
Ça me donnait l'impression d'être un peu avec lui.

Mais ça ne suffisait pas.
Il me manquait, et personne ne savait à quel point.

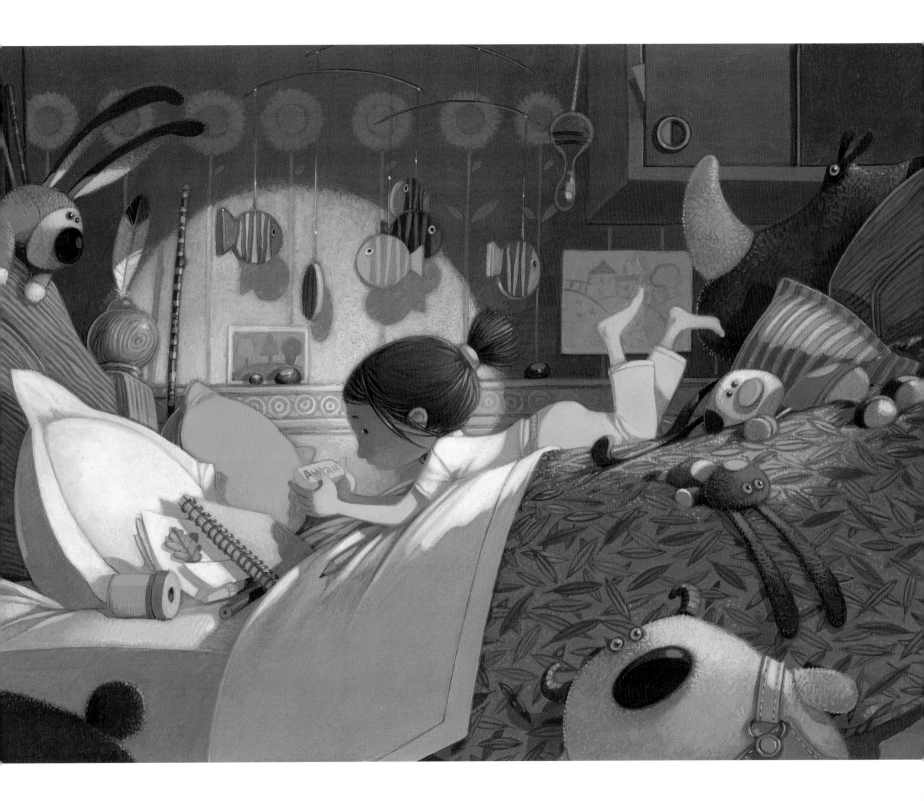

Un matin, à la fin du mois d'août, Thomas est venu à la maison.

Il avait une horrible nouvelle, la pire qui puisse exister.

Je suis partie en courant dans la forêt.

Je ne voulais rien entendre. Je savais déjà.

J'ai serré le chêne de Simon aussi fort que j'ai pu en pensant à lui et,

soudain, le vent a fait chanter les feuilles tout autour de moi.

Le lendemain, j'ai commencé à écrire des mots doux,

des coucous, des bisous, à dessiner des cœurs

et des étoiles de toutes les couleurs.

À la menuiserie, Thomas fabriquait une épée en bois

qu'il déposerait à côté de Simon dans le cercueil.

Le deuxième jour, il m'a dit:

«Quand le chagrin est trop fort, il faut le jeter dehors.

Les larmes sont là pour ça.»

Et il m'a tendu son grand mouchoir à carreaux en le dépliant doucement.

Le tissu sentait bon la sciure et le bois. C'était rassurant.

Alors je l'ai rempli à ras bord de mon chagrin trop fort.

Maman ne voulait pas que j'aille à l'enterrement.

Elle avait peur que je sois trop triste, que ça me fasse trop mal.

Mais c'était déjà le cas. Et puis, elle serait là

pour me donner la main et partager ma peine.

De toute façon, je n'imaginais pas la cérémonie pour Simon sans moi.

Je voulais lui lancer des mots doux jusqu'au bout du bout.

Depuis, il s'est passé des mois et des mois et il me manque encore ;

personne ne sait à quel point, sauf peut-être Thomas,

qui m'emmène parfois au chêne de Simon.

Je prépare des petits papiers et je les enterre au pied de l'arbre.

Nous nous asseyons contre le tronc

et nous regardons le cimetière de mots doux autour de nous,

en nous souvenant de Simon, de son grand courage et de sa joie de vivre.

Thomas me dit qu'un jour

je penserai à Simon avec de la mélancolie.

«La mélancolie, c'est comme la tristesse,

mais avec de la douceur dessus.»

C'est difficile à imaginer, tellement le vide est grand,

mais je suppose que Thomas a raison.

Alors je le regarde et je lui fais un sourire aussi doux que mes mots doux,

pour lui montrer que j'ai envie de le croire.

Chers adultes,

Ce livre s'adresse aux enfants et pourtant il aborde un sujet difficile, très difficile. Oui, il parle de la mort. Pas celle d'un vieil oncle lointain, d'un petit animal ou d'une fleur mais celle d'un enfant, un camarade de classe, l'amoureux d'Annabelle.

Il en parle sans détour car la vraie vie est ainsi et la mort en fait partie. Nombre de parents n'osent pas parler à leur enfant de ce sujet encore tabou, ou alors de façon détournée, très floue. Ils ont peur de le faire souffrir. Il est légitime de vouloir le protéger. Or, les enfants ressentent les événements telles des ondes qui flottent dans l'air et les traversent sans obstacle, sans filtre. Ils sont comme des tortues sans carapace car la raison ne leur sert pas toujours à analyser ce qui se passe.

Ils peuvent être perdus de ressentir sans savoir, parfois plus qu'en comprenant.
Alors mettre là des mots simples et justes, sans tricher, peut leur donner des pistes pour explorer leurs émotions passées, présentes ou futures. Encore faut-il les considérer, dans le grand mouvement de la vie, comme des êtres capables d'éprouver, comme nous adultes, des joies mais aussi des drames.

Cacher ou taire quelque chose ne le fait pas disparaître. Le montrer, le dévoiler tel qu'il existe, par le biais d'une histoire, avec douceur et poésie, peut par contre permettre à l'enfant, et à l'adulte

qui raconte, d'expérimenter à distance et sereinement une situation, de se l'approprier du bout du cœur comme on approche sa main de la flamme pour appréhender la notion de chaleur.

Ce livre a aussi et surtout pour vocation d'offrir aux enfants concernés par la mort d'un proche et à leurs parents, leurs grands-parents, les adultes de leur entourage, un outil concret pour vivre le deuil, et apprivoiser le chagrin à travers un geste symbolique : ici, les mots doux qu'Annabelle écrit et va ensuite offrir à Simon. C'est un exemple, il y en a tant d'autres, peut-être plus adaptés à votre histoire familiale, à votre sensibilité (un objet à construire, des dessins, des petits rituels simples…).

Peut-être que votre enfant a pleuré ou va pleurer en écoutant l'histoire, en regardant les images.
Ce n'est pas grave.
Peut-être que vous avez pleuré ou allez pleurer en lisant.
Ce n'est pas grave non plus.
Exprimer une émotion est un premier pas pour la digérer. Et partager cela avec son enfant, c'est partager la vie dans toute sa dimension, ce qui est de notre rôle de parent.

Que cet album vous accompagne sur ce chemin de l'apprentissage et de l'authenticité.

 Agnès LEDIG & Rogeria RODRIGUES, psychologue

C'est alors qu'elle exerçait le métier de sage-femme qu'Agnès Ledig a publié son premier roman, *Marie d'en haut* (2011). Il est suivi en 2013 par *Juste avant le bonheur* chez Albin Michel, grand succès de librairie couronné par le prix Maison de la Presse. Cette réussite lui a permis de se consacrer entièrement à l'écriture, et de publier de nouveaux romans, traduits en dix-sept langues. Après *Le Petit Arbre qui voulait devenir un nuage*, *Le Cimetière des mots doux* est son second album pour enfants en compagnie de Frédéric Pillot.

Marie d'en haut (2011) – Les Nouveaux Auteurs

Juste avant le bonheur (2013) – Albin Michel – Prix Maison de la presse

Pars avec lui (2014) – Albin Michel

On regrettera plus tard (2016) – Albin Michel

De tes nouvelles (2017) – Albin Michel

Dans le murmure des feuilles qui dansent (2018) – Albin Michel

Après des cours avec Claude Lapointe aux Arts décoratifs de Strasbourg, Frédéric Pillot travaille dans la publicité, l'édition et la presse où ses talents multiformes lui permettent une grande diversité de création. Aquarelle, crayons, ou comme ici peinture acrylique, Frédéric Pillot manie ses outils avec dextérité et s'est imposé comme un illustrateur hors pair. La série *Moi, Thérèse Miaou* chez Hatier conforte son succès, de même que les *Lulu Vroumette* (18 titres, adaptés en série télévisée) avec Daniel Picouly, également son compère sur les deux *Little Piaf* chez Albin Michel.

Une sélection de ses livres :

Lulu Vroumette (2002), avec Daniel Picouly – Magnard Jeunesse

La Boîte à cauchemars (2007), avec Michel Piquemal – Milan

Raoul Taffin chevalier (2013), avec Gérard Moncomble – Milan

Little Piaf: il faut sauver la reine ! (2014), *Little Piaf: l'incroyable arnaque* (2015), avec Daniel Picouly – Albin Michel Jeunesse

Le Noël d'Edmond (2016), avec Thibault Guichon – Magnard Jeunesse

Les Souvenirs du vieux chêne (2016), avec Maxime Rovere – Milan

Lulu Vroumette, tome 4 : Les Craies de la maîtresse (2017), avec Daniel Picouly — Magnard Jeunesse